D. C. THOMSON & Co. Ltd., GLASGOW : LONDON : DUNDEE

OOR WULLIE

A rusty bucket,
      scratched and dented,
An auld gang hut,
      sair needin' pented.
An angry faither,
      fair demented . . .
Oh, WULLIE!

A schoolbag, packed fu'
      tae the tap,
Things hangin' oot,
      beneath the flap,
But homework?
      No' a single scrap!
Oh, WULLIE!

Twa chums o' different
      shape an' size,
Till on Ma's dumplin'
      they set eyes.
Their jaws work well,
      and then, surprise . . .
Fat WULLIE!

Auld Murdoch's bike
      goes Clank and Creak,
(His boots are jist as bad
      . . . they squeak!)
Alas, that oil-can
      has a leak . . .
Oh, WULLIE!

Aye, life's like that
      when he's aboot.
He mak's fowk rant,
      and rave, and hoot,
But, ach, we'd never
      be withoot
OOR WULLIE!

Printed and Published in Great Britain by D. C. THOMSON & CO., LTD., 185 Fleet Street, London EC4A 2HS.
© D. C. THOMSON & CO., LTD., 1988.
ISBN 0-85116-434-X.

There's nae shortage o' big laughs —
When he's seekin' autographs!

It must be Wullie's lucky day —

Just for once, he's PAID to play!

This errand gets Wull in a tizz —

Guess who the jersey owner is!

One catapult of giant size —

Puir Murdoch can't believe his eyes!

Auld Granpaw Broon, and Daphne, too —

Dinna half shake you-know-who!

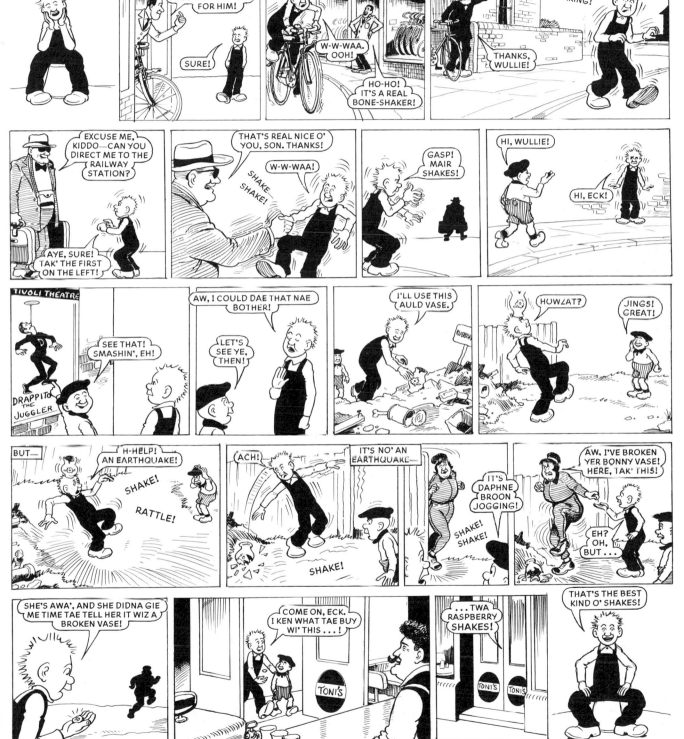

Lost yer keys? Then tak' a look —

Here's how tae mak' a line and hook!

Oor Wullie's bored, but never fear —

The Leaning Tower of Pizza's here!

His favourite supper's heaped up high —

But he canna face it now. Here's why — !

Mak's the wrang laddie seek!

Wullie's rich, and that's a fact —

Until his Ma gets in the act!

A moose amongst the grocer's cheese? —

No, it's jist Wullie's latest wheeze!

Wha's this stridin' doon the street? —

It's P. C. Wullie, on his beat!

There's "lots" o' laughs here —

Wi' this wee auctioneer!

One cat, one dug, one birlin' door —

Wi' a' that lot, there's fun in store!

Wull's tidy room looks neat and bright —

Alas, HE can't get out of sight!

What's worse than Wullie runnin' riot? —

Wullie oot o' sight and quiet!

A chance tae get a braw gift, free —

Does Wullie want it? No sirree!

Black eyes give the game away —

But a WHITE eye's even worse today!

Wull's plans tae get his face a' spotty —

Fairly send the poor lad dotty!

A fitba gemme? The very dab! —

Until they're caught by auld McNab!

He wants tae win a coconut —

It should be affy easy, but . . . !

Missing laces, no schoolbag —

No wonder Pa has lost his rag!

Sunshine? Fog? Then rain and thunder? —

Oor Wullie's made an affy blunder!

When Wull's the salesman, a'thing goes —

He'd sell ice-cream tae Eskimos!

It looks as if your chum's gone saft —

But trust Oor Wullie — he's no' daft!

See what happens when they TRY —

To make this mystery object fly!

Lots o' things are made o' plastic —

But Wullie's bucket? Jings, that's drastic!

Wi' straight left, jab and uppercut —

Wull's set tae meet the champion. But . . . !

A lucky day for Wullie? Nope!

It's all in his HORRORscope!

He's a' spruced up from head tae toe —

And does it work? Well, yes . . . and no!

Oor Wullie is a hoot, and how! —

He's got the perfect "pen" pal now!

Oor Wullie yo-yo's through the toon —

First he's up, and then he's doon!

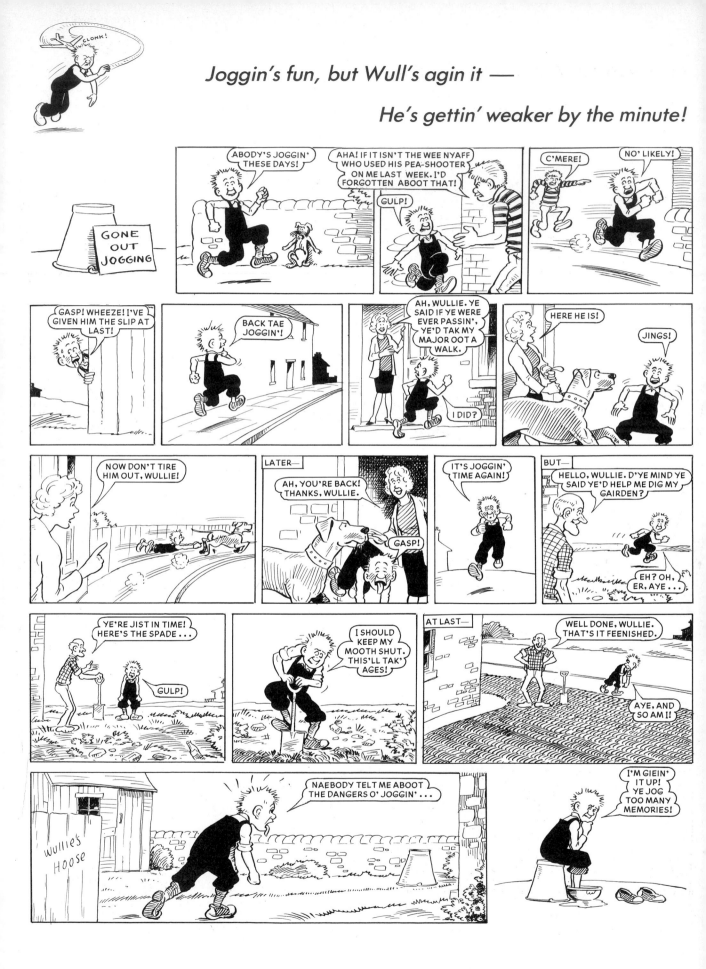

Who'll be the leader? That's the question —

At plannin' ploys, guess who's the best yin!

Wull's skint when a' this scramblin's o'er —

But there's an EGGStra-special treat in store!

Bob and Wullie won't forget —

The day they baith got soakin' wet!

A kitty in Oor Wullie's hoose —

Spells danger for his little moose!

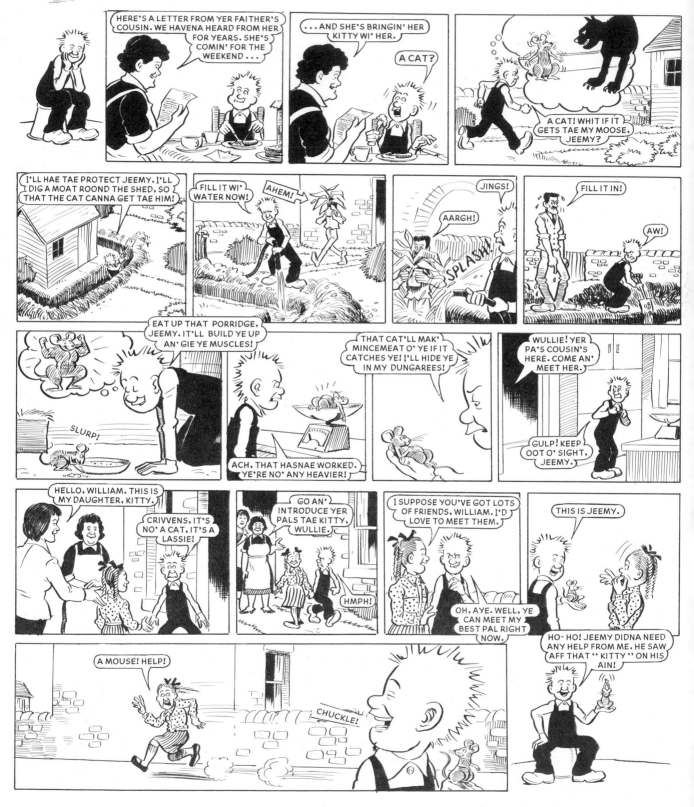

See it sook and see it blaw —

Wull thinks this vacuum cleaner's braw!

The grass is long, he gets it cut —

He thinks he's on a good thing. But . . . !

At curing hiccups he's a hit —

Until, poor lad, he gets the smit!

Tam thinks he's a smart bell-ringer —

But Wullie is a real hum-dinger!

He's naebody's fool —

Till he gets intae school!

"Farewell, little envelope!" —

But is it gone for good? Some hope!

Black cats are lucky, Wullie thinks —

But, jings, this ane's a proper jinx!

Fat Bob and Soapy fail Wull's test —

At breakin' records, HE'S the best!

See Wullie marchin' proudly past —

His brand new breeks are at half mast!

Oor Wullie's pals are in disgrace —

Until they see his hiding-place!

Here's a toy from doon under —

And a fower-legged wonder!

Though Wullie disnae half cause trouble —

He disnae care. He's got a double!

Sticky paper and big sharp nails —

A recipe for snarls and wails!

His "miaows" are guid, his "quacks" are braw —

But, jings, his "squeaks" are best o' a'!

Here's lots o' laughs —

Wi' photographs!

Oor Wullie's searchin' for the sun —

But Bob ends up the well-tanned one!

Here's Wullie bein' as good as gold —

Doing exactly as he's told!

Picture, picture, on the wall —

Who's the smartest of them all?

Wi' noisy boots!

See oor laddie's latest notion —

He's goin' tae mak' a magic potion!

There's lots mair ways than one tae get —

A puir wee laddie soakin' wet!

Oor Wullie's new ploys mak' him dizzy —

It seems he's just plain daft . . . or is he?

A' it tak's is one hand-stand —

Tae see exactly what Wull's planned!

Things for Wull look really black —

The man in blue is on his track!

Oor Wullie mak's some big mistakes —

When he sets oot a-huntin' snakes!

F

Wull tames the bowlers wi' his bat —

Until there comes a shout, "Howzat?"

Wull's new bucket brings dismay —

But his worries quickly melt away!

Banned from the stairs! What a to-do —

But leave it a' tae you-know-who!

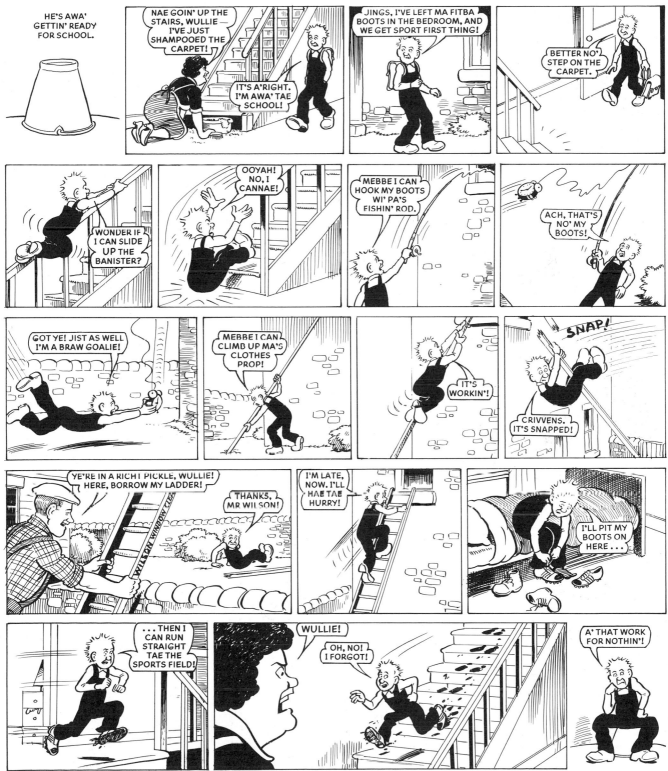

See whit's walkin' doon the street —

Jist look — this postie's got fower feet!

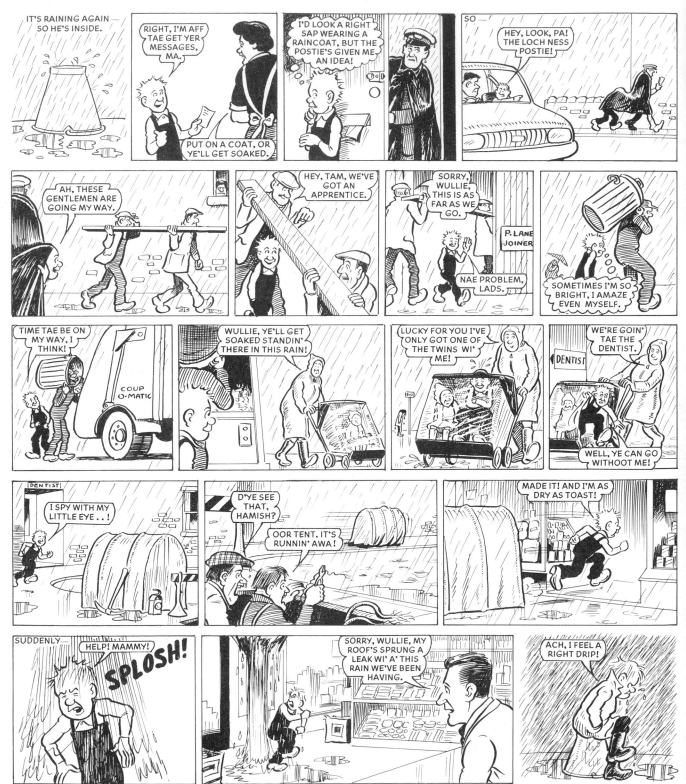

Wull searches here, Wull searches there —

Creatin' chaos everywhere!

Wull thinks that seaside rock is smashin' —

Until he sets his teeth a-gnashin'!

This cowboy thinks he's tough and mean —

But then he meets auld Grannie Green!

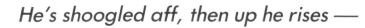

He's shoogled aff, then up he rises —

This bike is packed wi' big surprises!

Pa's dreadin' this! It's just nae fun —

Buyin' new shoes for his son!

Oor Wullie's affy smart, and how! —

See how he gets his ain snowplough!

Here's a sight that's really weird —

Oor favourite laddie's got a beard!

A wee black book . . . and in a minute —

Guess who's name is written in it!